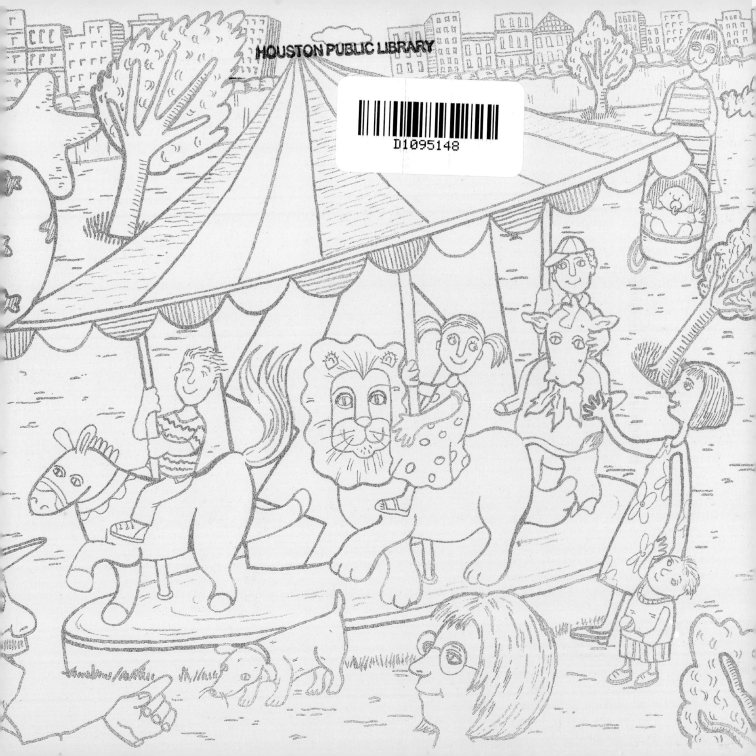

Ventura, Antonio, 1954-
        Lo que más me gusta / Antonio Ventura ;
ilustraciones Ivar Da Coll. -- Bogotá : Babel
Libros, 2010.
        32 p. : il. ; 20 x 21 cm.
        ISBN 978-958-98273-8-3
        1. Cuentos infantiles españoles 2. Libros
ilustrados para niños
I. Da Coll, Ivar, 1962-   , il. II. Tít.
I863.6 cd 21 ed.
A1228179

        CEP-Banco de la República-Biblioteca Luis Ángel Arango

ISBN: 978-958-98273-8-3

Babel Libros
Calle 39 A 20-55, La Soledad
Bogotá D.C., Colombia
Teléfono 2458495
editorial@babellibros.com.co
www.babellibros.com.co

Edición: María Osorio

Escáner: Sandra Ospina.com
Impreso en Colombia por D'vinni S.A.
Bogotá, abril de 2010

Lo que más me gusta

Antonio Ventura • Ivar Da Coll

Lo que más me gusta

Antonio Ventura • Ivar Da Coll

¡Miauu!

Lo que más me gusta es estar
con Marta, jugar con ella y,
sobre todo, ir juntos al parque
de atracciones.

Nunca vamos solos, siempre
viene alguien más, pero a mí no
me importa porque Marta me
deja ver las atracciones que más
me gustan.

Me gusta ver subir los vagones
de la montaña rusa y me
divierten las caras de susto
de las personas cuando el tren
baja a toda velocidad.

Me gusta especialmente la
noria. Es emocionante ver todo
el parque de atracciones desde
allí arriba. Las personas y los
animales se ven muy pequeños
y parece que los pudiéramos
guardar en una caja.

Siempre que llegamos a la
noria, me detengo, fijo los ojos
en Marta hasta que me mira y
espero que me diga que vamos
a montar otra vez.

Casi nunca ocurre. Yo sé que es
porque a ella le da miedo,
y no le gusta estar tan alto
balanceándose. Cuando hemos
subido, lo hace por mí.

Por eso no me importa,
y seguimos nuestro recorrido
por las demás atracciones.

Cuando Marta sube en alguna,
yo me quedo al lado de Luis,
él también es muy cariñoso
conmigo.

Lo que más le gusta a Marta
es el tiovivo. Se sube siempre
en un caballo blanco, y en cada
vuelta saluda con la mano.
Es un tiovivo que tiene muchos
animales: caballos, cebras,
panteras y muchos más.

Lo único que no me gusta
del parque son las casetas
en las que tiran con pelotas
de goma o con escopetas
de perdigones a los patos que
dan vueltas, como en una noria.

Al final, siempre damos
un paseo en barca.
Me encanta.
Yo me siento adelante,
en el sitio que Luis
dice que se llama proa,
y no me pierdo nada
del viaje.

Y, antes de volver a casa,
Marta me compra lo que sabe
que más me gusta:

¡un hueso de plástico!

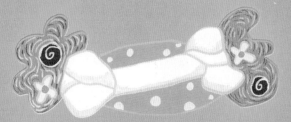

Este libro se empezó a escribir en
Madrid y se terminó de dibujar,
luego de muchas interrupciones,
cuatro años después en Bogotá.
Se compuso en caracteres Adobe
Caslon y se imprimió en los talleres
de D'vinni S.A., los primeros días
del 2010.